LIFE *is* simple

ARE YOU READY?

HOME sweet HOME

estilo
Reciclado

Agnes Haddock

LIBSA

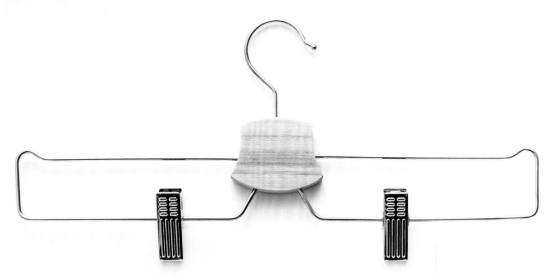

© 2017, Editorial LIBSA
C/ San Rafael, 4
28108 Alcobendas (Madrid)
Tel.: 91 657 25 80
Fax: 91 657 25 83
e-mail:libsa@libsa.es
www.libsa.es

COLABORACIÓN EN TEXTOS:
Agnes Haddock y equipo editorial Libsa
EDICIÓN: Agnes Haddock y equipo editorial Libsa
DISEÑO DE CUBIERTA: equipo de diseño Libsa
MAQUETACIÓN: equipo de maquetación Libsa
IMÁGENES: Thinkstock.com, Shutterstock Images,
123 RF y archivo Libsa

ISBN: 978-84-662-3138-1

Contenido

Introducción

VIVIMOS EN UN MUNDO de usar y tirar. Mientras nuestras abuelas zurcían los calcetines y los codos de las chaquetas, hoy nos resulta más cómodo comprar unos nuevos. Durante muchos años ignoramos el enorme **perjuicio** que este tren de vida causa **al planeta**. Sin embargo, en la medida en que la sociedad ha tomado conciencia de ello, el propósito de **aprovechar** los **materiales de desecho** para la creación de nuevos productos ha cobrado cada día más y más fuerza. La idea no es nueva; las clases más desfavorecidas de la población conocen el proceso desde hace siglos; prueba de ello es el patchwork, trabajo textil hecho con retales que tiene más de 150 años de antigüedad. Y lo que surgió como necesidad de abrigo, hoy se ha convertido en auténtico arte cuyas piezas son muy codiciadas y alcanzan precios exorbitantes.

El **reciclaje** a nivel industrial es muy importante desde el punto de vista **ecológico** porque gracias a él se reduce el consumo de materias primas, el uso de energía, y se disminuye la contaminación de agua y aire y las emisiones de gases de efecto invernadero. A nivel personal, tiene también, entre otras, estas **ventajas**:

- Ahorro considerable de dinero.
- Puesta en marcha de la creatividad.
- Construcción de objetos imposibles de comprar en el mercado.

LOS MATERIALES
En el reciclado se puede utilizar cualquier tipo de **material no perecedero:** papel, cartón, vidrio, plásticos, maderas, metales, fibras de todo tipo, piedras, **materiales orgánicos** como el hueso o el nácar, etc. Cada uno de ellos tiene sus peculiaridades y exige un tipo de tratamiento propio según su porosidad, fragilidad u otras cualidades. Elegir uno u otro para cada trabajo es cuestión de gustos.

La lista de objetos que podemos reciclar es poco menos que infinita. Entre los más utilizados podemos citar: **cajas** de madera de todo tipo, **palés,** restos de vajillas, restos de cubertería, **cartón** en sus formas más variadas, viejas pantallas o sus armazones, **retales** de cuero, herrajes antiguos, puertas, ventanas, todo tipo de **contenedores** de cristal o de otros materiales, etc.

LAS TÉCNICAS
Para evitar frustraciones, sobre todo cuando no tenemos mucha **práctica** en trabajos manuales, a la hora de reciclar es importante escoger como modelo un **objeto sencillo** que implique técnicas fáciles o con las cuales estemos familiarizados. Poco a poco, a medida que vayamos haciendo cosas, adquiriremos la **destreza** suficiente como para acometer tareas más difíciles.

Entre las técnicas se incluyen las propias de la **carpintería**, la **pintura**, el **découpage**, el **teñido** de telas y maderas, etc. Todo aquello con que podamos transformar los materiales que queremos reciclar. La experiencia también nos enseñará a **combinar** diferentes **técnicas** para crear nuevos objetos o a **diseñar** rápidamente lo que podamos hacer con los materiales de reciclaje que se nos presenten.

little
things ♥
make
big
days

LOS OBJETOS

El reciclado es apto para construir todo tipo de objetos: desde **grandes muebles** como armarios o sofás, hasta **pequeñas obras de arte** como clips para el pelo, collares, anillos o pulseras. Estudiando la forma del material a reciclar se nos pueden ocurrir mil ideas; otras, las encontraremos en revistas o en tiendas, ya que la decoración está teniendo cada vez más auge.

Antiguamente, las casas tenían un **desván** donde se guardaban objetos que quedaban en desuso, y resultaba fácil encontrar entre ellos algunos dignos de ser **reciclados**. Como hoy no contamos con esa estancia, podríamos destinar algún **armario** para ir depositando en él aquellas cosas que consideremos reciclables: llaves, cubiertos, todo tipo de recipientes, relojes que ya no funcionan, papel de periódico, retazos de telas y lanas, y todo aquello que nos llame la atención por su textura, color o forma, ya que en algún momento podemos volverlo a utilizar.

NUEVO LUGAR, NUEVA FUNCIÓN

Entre los **trucos** o métodos de decoración con elementos reciclados dos de los más importantes que podemos citar consisten en:

- Colocar **objetos fuera de lugar;** traerlos del exterior al interior.
- Dar a los objetos una **función** muy **diferente** a aquella para la que fueron creados.

Así, un cubo de zinc como los que se usan en las fábricas puede convertirse en **original** paragüero a la entrada de una casa; una boya marina sirve no solo como **elemento decorativo** sino que puede ser un perfecto portavelas; con las botellas de plástico de agua o de refrescos, hacer mini terrarios o emplearlas como tiestos para poner plantas; con un viejo neumático y un bonito cojín bien encajado en su interior, ya tenemos un puff. La lista de posibilidades es inmensa; solo hay que dejar volar la **imaginación** y ver cada objeto a reciclar como algo desconocido y nuevo, en vez de vincularlo a la función que ha cumplido. Eso hará que podamos reutilizarlo fácilmente para otros propósitos.

Otra técnica empleada con bastante frecuencia en el reciclado es reunir objetos diversos en una misma pared, espacio o rincón, pero pintándolos previamente de blanco o de negro para dar **uniformidad** al conjunto. Así, podemos reunir un tipo variado de contenedores que servirán para poner flores, especias, material de escritorio, etc.

DIY: HÁGALO USTED MISMO

El **reciclado** viene acompañado por esta nueva tendencia que recupera muchas de las habilidades que tenían nuestros abuelos para **modificar y reutilizar** todo tipo de objetos: carpintería, costura, tejido, etc.

Es innegable que, a medida que utilizamos las manos para hacer nuevos objetos, la **habilidad** que desarrollamos para este tipo de tareas es cada día mayor. Por esta razón, es recomendable que aquellas personas que no están acostumbrados a hacer **trabajos manuales** empiecen con los más sencillos y con los que requieran técnicas menos específicas. No hay que desesperar si al primer intento no se obtiene el resultado deseado; si no se pierden la **paciencia** y la **constancia**, en un muy poco tiempo se estará en condiciones de reciclar exitosamente cualquiera de las propuestas de este libro. Presentamos casi **40 proyectos** reciclados que incluyen especificados los materiales necesarios y el paso a paso detallado de todo el proceso, además de mil trucos e ideas nuevas.

Vamos a finalizar esta introducción con un trabajo manual sencillo. Vamos a darle una segunda oportunidad a nuestro escurridor de acero inoxidable, ese que hemos abandonado en el fondo del armario de la cocina, en la última estantería, a la que casi no llegamos, y en la que arrinconamos los utensilios que creemos que ya no nos son útiles. Vamos a darle a nuestro escurridor una función diferente a aquella para la que fue pensado: con muy poco esfuerzo lo vamos a convertir en un precioso centro de mesa, que adornaremos con flores secas de colores variados.

NECESITAMOS: Un colador de acero inoxidable • Un producto desengrasante • Papel viejo • Papel de lija • 2 brochas y pinceles de diferente grosor • Imprimante blanco • Pintura a base de aceite • Cera para metal • Flores secas

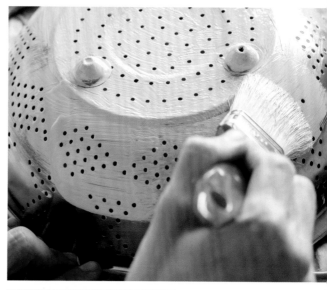

1. **LIMPIEZA.** Cubrimos la superficie donde vamos a trabajar con papeles viejos. Lavamos el escurridor con un producto desengrasante, para asegurarnos de que no queda ningún resto de polvo ni suciedad y lo lijamos, para eliminar cualquier imperfección. El proceso de limpieza es muy importante, nos ayuda a fijar la pintura.

2. **PINTURA.** Antes de pintar, con ayuda de una brocha, aplicamos un imprimante blanco, indicado para superficies de difícil adhesión, como el acero inoxidable. Una vez seca la imprimación, aplicamos la pintura. Elegiremos una pintura a base de aceite y la aplicaremos con una brocha, si nos decidimos por un solo color y con pinceles, si vamos a pintar con varios colores. Dos o tres capas serán suficientes.

3. ACABADO. Una vez que la pintura esté completamente seca, aplicamos una fina capa de cera para metal; ayudará a sellar la pintura.

4. FLORES SECAS. Nuestro colador ya no es un colador; ahora es un centro de mesa. Solo falta llenarlo hasta arriba de flores secas. ¡Cada vez que lo miremos nos alegrará el día!

Accesorios
con personalidad

Lámpara... embotellada

Podemos utilizar las guirnaldas de luces para crear interesantes efectos de iluminación. Bastará con acomodarlas en un recipiente de cristal transparente al que, si fuera necesario, realzaremos previamente con otros elementos decorativos.

NECESITAMOS: Una guirnalda de luces • Un recipiente grande de cristal o de metacrilato, preferiblemente con boca ancha • Elementos decorativos naturales (piedras, ramas, etc.)
DIFICULTAD • BAJA

1. LAS LUCES ADECUADAS. Las **guirnaldas de luces** están formadas por un conjunto de **leds** dispuestos a distancias regulares a lo largo de un cable. Son las que se suelen emplear en los árboles de Navidad. Las hay de diferentes tipos, incluidas las que se alimentan por luz solar o las que vienen dentro de un grueso cable plástico. Cualquiera de ellas sirve para nuestro propósito.

2. EL RECIPIENTE. Puede ser una **botella o un frasco de cristal** o de metacrilato amplios, con boca grande, o cualquier otro recipiente en el que las luces quepan cómodamente: por ejemplo, **una pecera** redonda o **un cubo** para hielo como el de la fotografía.

3. MANOS A LA OBRA. La construcción de la lámpara en sí no tiene muchos secretos: bastará con meter las luces dentro del recipiente dejando el extremo del cable fuera para conectarlo a la **red eléctrica**. Lo importante es el siguiente paso.

4. EMBELLECIMIENTO. Para disimular el cable que queda dentro del frasco se pueden emplear cantos rodados, caracolas o cualquier otro **elemento natural** que, combinado con unas ramas secas como las que se ven en la fotografía, dan un resultado sorprendente y original.

Esta singular **lámpara de ambiente** de estilo minimalista también puede colocarse sobre una mesa o una estantería, pero es mucho más resultona puesta directamente en el suelo.

Un toque de color...

PARA LOGRAR un efecto de luz atenuada, ya sea más **cálida** o más **fría,** bastará con decorar previamente el recipiente usando una **pintura** especial para cristal o para bombillas. También se pueden obtener maravillosos **efectos luminosos** en tonos naranjas, ocres, rojizos y amarillos pegando hojas otoñales en el recipiente. Para ello, es necesario emplear hojas bien secas y pequeñas gotas de pegamento transparente.

DECORATION FOR **YOUR** COLLECTION

Árbol... del bosque

¿Alguien duda de que este conjunto de ramas horizontales es un auténtico árbol de Navidad? Mientras las proporciones entre las «ramas» se mantengan, nuestra mente completará mágicamente los elementos que falten y la decoración hará el resto.

NECESITAMOS: 15-20 ramas secas de diferente longitud • Adornos navideños • Cartulinas de colores, globos pequeños, purpurina, pegamento e hilo • Trozos de tela • 30-40 clavos para fijar las maderas a la pared
DIFICULTAD • BAJA

1. ELECCIÓN DE LAS RAMAS. Si no contamos con un bosque cercano, debemos aprovechar la **época de tala** de árboles en la ciudad para recolectar las maderas.

Para escoger las que vamos a usar para formar la copa, primero las ordenaremos en el suelo según su **longitud, de mayor a menor.** Procuraremos seleccionar las de diferentes grosores y tonos. A continuación, les quitamos todas las ramas secundarias. El **tronco** lo armamos con dos o tres ramas de igual longitud y la madera que nos sobre la usaremos para la base, simulando la tierra.

2. ADORNOS Y ARMADO. Podemos colocar adornos ya comprados o hacerlos. Las **bolas** las podemos hacer pegando cuatro capas de servilletas de papel en un globo inflado y fijando entre la segunda y tercera un lazo de hilo para poder colgarlas. Con las cartulinas, recortamos **figuras** tradicionales. Podemos pintar o añadir purpurina a todos los **adornos.**

Para cada **rama...** empezando por la superior, pondremos dos clavos en la pared de modo que se apoye en ellos. Antes de colocarlas debemos colgarles los adornos.

Finalmente, apoyamos las ramas del tronco y esparcimos las sobrantes en la **base** para simular la tierra o las raíces.

Corchos... para enmarcar

¿Qué hacer con todos esos tapones de corchos que quedan abandonados en la cocina después de una comida festiva? Pues se pueden hacer infinidad de cosas... ¡Menos tirarlos! El corcho, un material proveniente de la naturaleza, se merece una nueva vida en nuestro hogar. Hemos hecho un cuadro perfecto para cocinas y comedores.

NECESITAMOS: 19 tapones de corcho • Cúter • Un marco de fotos • Cola blanca o pegamento • Una tira de papel verde
DIFICULTAD • BAJA

1. **CORTE.** Cuando tengamos suficientes **corchos** (nosotros hemos usado 19 tapones), los cortamos a la misma altura con un **cúter** muy afilado.

2. **COLOCACIÓN Y PEGADO.** En el tablero trasero de un **marco** convencional colocamos primero los corchos formando la figura que más nos guste. En este ejemplo, hemos hecho un **juego conceptual** en el que los tapones redondos emulan las uvas de un racimo del que saldrá el vino. Cuando tengamos clara la figura, pegaremos los corchos aplicando **cola** tanto al corcho como al tablero y presionando. Dejamos secar.

3. **ESTÉTICA.** Hemos usado corchos de botellas con distintas añadas y mostramos los **números,** pero también algunos se han dado la vuelta dejando a la vista el tono **rosáceo** que adquiere el corcho al estar en contacto con el vino. El color del tapón le aporta volumen a la composición.

4. **REMATES.** Como rabito del racimo hemos optado por una **tira de papel** verde proveniente de una **serpentina.** Por último, hemos colocado la plancha en el marco, quitando el cristal, para que pueda apreciarse el racimo en tres dimensiones.

Mensajes... en madera

Las chapas de conglomerado de madera que se utilizan a veces para hacer manualidades, o que suelen formar parte de la trasera de los muebles (como armarios o alacenas), suelen tirarse cuando el mueble se rompe o se termina el taller de marquetería. Reutilizarlas para decorar la casa con bellos mensajes es una forma original de alegrar un espacio vacío sin saturarlo.

NECESITAMOS: Un tablero de conglomerado de marquetería • Sierra de calar • Papel lija • Un cepillo • Imprimación gris • Brochas • Pintura blanca • Papel y tijeras
DIFICULTAD • MEDIA

1. PREPARACIÓN DEL TABLERO. Si tenemos restos de **conglomerado** irregulares, elegiremos la parte que esté en mejor estado, y **mediremos** un rectángulo del tamaño que deseemos (no es necesario un estándar). **Cortamos** con una **sierra de calar** y **lijamos** bien los cantos, dejándolos suaves para pasar un cepillo con el que retirar el polvo.

2. IMPRIMACIÓN. Aplicamos primero una capa de **imprimante gris** para que luego la pintura quede mejor y se vea el efecto envejecido. Dejamos que se seque.

3. PINTURA ENVEJECIDA. Aplicamos una capa de **pintura blanca** y dejamos secar por completo. Ahora, vamos a envejecerla usando una **lija** que iremos pasando por las zonas que normalmente tendrían desgaste si fuera un tablero viejo; es decir, los cantos sobre todo. Se trata de dejar de forma natural, al descubierto y solo parcialmente, el fondo de imprimación que pusimos primero.

4. LETRAS. Para escribir un **mensaje** podemos usar **plantillas de papel** con letras de imprenta recortadas. Si utilizamos **plantillas inversas**, basta con fijar sobre la tabla y rellenar los huecos con pintura de contraste (gris), pero también podemos hacerlo rascando los huecos de la plantilla para que asome la capa de imprimación de debajo y el conjunto quede más entonado.

GOOD VIBES.
EVERY DAY.
ALL DAY.

little
things
make
big
days

TODAY
IS THE
DAY

I'm not weird

I'm

limited
edition

Con guirnaldas

UN DETALLE. Con imaginación, podemos conseguir que el tablero sea un verdadero **cuadro.** En este caso hemos añadido un detalle precioso que también aprovecha **restos** de conglomerado de madera usados en otras manualidades. Hemos dibujado la silueta de unos **corazones** sobre la madera, los hemos cortado con la sierra de calar, y los hemos lijado y pintado. Con un clavo, hemos hecho un orificio en la parte superior y hemos pasado un cordel rústico, atando cada corazón para que se mantenga fijo en la guirnalda. Al colocar la tablilla a lo largo, se añade más mensaje al mensaje y, apoyado en una estantería, da nueva vida al ambiente. Este tipo de adornos también pueden hacerse con **cartón o papel,** pero son mucho menos duraderos.

Autoestima

UN BUEN LEMA. En el día a día es importante mantener la autoestima alta y, para ello, nada mejor que un **mensaje directo y positivo** que nos eleve el ánimo al leerlo. Frases que nos recuerden lo más importante de la vida, como la amistad o el amor, o que nos hagan fijarnos en pequeños detalles maravillosos que nos alegran la vida de forma gratuita, como un amanecer o el olor de la lluvia, pueden ser suficientes para evitar la melancolía.

Traducimos nuestra selección para todos los públicos: «Buenas vibraciones. El día entero», «Los grandes días están hechos de cosas pequeñas», «Hoy es el día» y «No soy raro. Soy edición limitada».

Sellos

HACER SELLOS Y TAMPONES PARA DETALLES MINIMALISTAS. Hay varios métodos para fabricar sellos caseros, siendo los más comunes los que se realizan sobre **goma de borrar, caucho sintético o corcho.**

Vamos a explicar el paso a paso de un sello sobre una goma de borrar:

1. **EL MODELO.** Hacemos en **papel** las letras y las transferimos a la superficie de la goma de borrar usando un **bolígrafo** o un **lápiz.**

2. **EL TALLADO.** Tallamos haciendo el relieve usando un **punzón, cúter** o similar. Se trata de que la letra quede en tres dimensiones, con los contornos bien marcados hacia afuera.

3. LA IMPRESIÓN. Utilizando **tinta o pintura,** mojamos el sello primero y presionamos después sobre el tablero, donde quedará impreso. Con sellos, nos aseguramos de que el resultado sea siempre el mismo, con caracteres de **imprenta,** pero siempre personalizados, ya que el sello es personal e intransferible. Permite además añadir dibujos o figuras geométricas.

NECESITAMOS: Discos de vinilo viejos • Agua •
Jabón • Paño de microfibra
DIFICULTAD • BAJA

Bajoplato... de vinilo

Algunos objetos del pasado que han quedado totalmente obsoletos mantienen sin embargo una fuerte carga afectiva y sentimental. Es el caso de los discos de vinilo y esta es una excelente idea para reciclarlos.

1. EL DISCO. Para evitar perder un original que pudiera ser valioso, vamos a asegurarnos de que el disco que usemos esté rayado y no pueda escucharse bien o que ya lo tengamos en otro **formato moderno.**

2. LIMPIEZA. Por extraño que parezca, no hay un método más eficaz que el **agua** y el **jabón** neutro para limpiar el vinilo. Después recuperará su brillo si lo frotamos con un **paño de microfibra.**

3. MUCHAS IDEAS. Usarlo como **bajoplato** no es la única manera de reutilizar un disco de vinilo: puede adaptarse a un **taburete** y convertirlo en una mesita auxiliar, usarse como soporte para un **reloj** de agujas o calentarse en el horno para darle la **forma** que queramos, un bol por ejemplo.

Dried shabby chic

Las flores son el adorno ideal para cualquier ambiente; con sus variados colores y formas atraen nuestra mirada. Además de embellecer los espacios, pueden también disimular cualquier defecto de su entorno.

1. RECOLECCIÓN Y PREPARACIÓN. Hay que recolectar las flores en tardes soleadas y nunca a primera hora de la mañana. Son aptas aquellas que **aún no se han abierto** completamente. Es necesario cortarlas con una tijera o cuchillo limpios y quitarles las hojas del tercio inferior.

2. SECADO DE LAS FLORES. Hacemos un ramo y lo colgamos en un lugar **oscuro y seco, boca abajo,** o bien las disponemos horizontalmente sobre papel. Es importante que **no se toquen** entre sí.

3. EL RECIPIENTE. Las flores pueden disponerse en **viejas hueveras** de alambre, en **cestas de mimbre** o en **cajoncitos de madera** previamente lijados. Estos recipientes se pueden embellecer con forros, cintas o puntillas.

Platos... de colgador

En casi todas las casas hay restos de vajillas hermosas que hemos conservado por su belleza o por su valor sentimental. Podemos reciclar los platos viejos de muchas maneras. De esta forma, los seguiremos aprovechando y les daremos en la casa el lugar destacado que merecen.

NECESITAMOS: 5 platos antiguos • 5 colgadores metálicos • Pegamento de contacto extra fuerte • Una tabla • 5 colgadores de gancho • 5 tornillos • Destornillador • Cinta de carrocero • 5 puntas • Martillo • 2-3 tacos y sus alcayatas • Taladro
DIFICULTAD • MEDIA

1. SELECCIÓN Y PREPARACIÓN. Lo primero que haremos será seleccionar los **platos** que vamos a utilizar. Aunque pueden ser todos iguales, es recomendable jugar con los **tamaños, colores y diseños.**

   En la parte posterior de cada uno de los platos se pegará **un colgador** metálico, de base cuadrada y con una arandela para colgar. Es importante que la superficie a pegar sea **plana.**

2. CONSTRUCCIÓN DEL COLGADOR. Elegimos el **orden** en el que van a ir los platos y los ponemos boca abajo para medir la longitud de la tabla que hará de base del perchero. **Atornillamos** los colgadores de gancho guardando la distancia exacta.

   Para hacerlo, es buena idea usar sobre los platos una **cinta de carrocero** y, con mucho cuidado para que no se desprenda, **trasladarla** a la tabla. Eso garantiza que queden a la misma altura y podemos marcar dónde va el tornillo.

   Clavamos cinco puntas en la tabla para colgar los platos y, finalmente, la colocamos en la pared, **taladrando** para introducir tacos y usando alcayatas fuertes del mismo número. A la vista, parecerá que son los platos los que sostienen todo y no la tabla que nosotros sabemos que está detrás.

Cedazos... como cuadros

Los viejos cedazos, e incluso algunas cajas de madera planas, se pueden reciclar fácilmente convirtiéndolos en marcos con volumen que nos permitan encuadrar todo tipo de objetos, ya sean vivos, como las plantas, o estáticos, como libros o cualquier clase de adorno.

NECESITAMOS: Guantes de trabajo • Cedazos o cajas de madera planas • Agua jabonosa y estropajo • Papel de lija • Pegamento (opcional) • Alcayatas y tacos de pared • Taladro
DIFICULTAD • BAJA

1. LIMPIEZA Y PREPARACIÓN. Para **limpiar** y preparar los viejos cedazos de malla metálica, es conveniente que nos pongamos guantes de trabajo porque el alambre es muy fino y nos lo podemos clavar fácilmente. Si la malla está bien conservada, la mantenemos, pero si está desgastada, la quitamos y nos quedamos solo con el aro. Lo lavamos muy bien con agua jabonosa y lo dejamos **secar** al aire libre. Pasamos **una mano de lija** y, si fuera necesario, usamos pegamento para cerrar el círculo o para sujetar algún trozo que se haya desprendido. Lo **colgamos** de la pared con una alcayata y un taco.

2. QUÉ ENMARCAMOS. Aquí es la **imaginación** la que debe jugar el papel principal. Dependiendo de la estancia donde los coloquemos, podremos guardar unas cosas u otras; usarlos aislados o en conjunto; con su madera al natural o pintados.

CASI UN MUEBLE. Para los más **habilidosos** queda la opción de clavar una o más tablas horizontales en su interior, a modo de **baldas,** y obtener un pequeño mueble que puede convertirse, por ejemplo, en un estupendo **especiero** que lucirá muy bien en la cocina. ¡No pasar por alto el detalle de la jaula jardinera!

Portallaves... con marco

Una de las ventajas del reciclado es que se pueden aprovechar las irregularidades o imperfecciones de un objeto o de una superficie, para convertirlas en elementos decorativos. Así, un desconchón en la pared puede ser transformado en un cuadro sin necesidad de tener que pasar por un arreglo.

NECESITAMOS: 4 listones de madera de 3-4 cm de anchura y diversos largos • Pegamento • Escayola • Un clavo • Una llave
DIFICULTAD • MEDIA

1. MARCO. Debemos conseguir cuatro listones de madera planos, de 3-4 cm de ancho. La longitud depende de las **dimensiones** que le queramos dar al cuadro. Podemos hacerlo apaisado, en cuyo caso usaremos dos maderas **largas** para los bordes superior e inferior y dos **cortas**, para los costados, o colgarlo vertical.

Las maderas deben estar bien **limpias** y con las aristas **pulidas.** Podemos usarlas con su color natural, barnizarlas o pintarlas. El marco lo haremos pegando entre sí los cuatro trozos.

2. CONTENIDO. La idea es crear una composición aprovechando el **desconchado** de la pared, empleando madera, piedra o cualquier otro material.

Para fijar estos elementos en el hueco, podemos utilizar un pegamento resistente o bien emplear un **material de construcción** como el cemento o la escayola.

Conviene trabajar en primer lugar el **interior** del cuadro cómodamente y, cuando esté terminado, colocar a su alrededor el **marco**. Y no debemos olvidar, por supuesto, uno o varios clavos, según sea el **diseño** que prefiramos, para poder colgar las llaves.

Lámpara... de comedor

Una estupenda y vistosa idea para dar salida a todos los cubiertos antiguos que han ido quedando desparejados o que hemos recibido en herencia y con los que no sabemos muy bien qué hacer. Para colocar como soporte puede usarse un simple aro de metal o un viejo armazón de lámpara de caireles.

NECESITAMOS: Un armazón de lámpara • Broca fina para metales • Taladro • 6 cucharas y tenedores (pueden o no ser de un mismo juego) • 12 ganchos en S • Cable y portalámpara • Una cadena

DIFICULTAD • ALTA

1. **EL ARMAZÓN.** Lo ideal es conseguir el armazón de una **vieja lámpara** de caireles porque seguramente tendrá incorporado uno o varios portalámparas, y podemos aprovechar los agujeros que sostenían los cristalitos para colgar de ellos las cucharas y tenedores.

   Si no contáramos con el armazón, debemos conseguir un **aro de metal** que pueda colgarse paralelo al techo y capaz de contener un portalámparas con su cable. Realizamos en el aro 12 agujeros y, para que sean equidistantes, utiizamos una broca fina para metales y un taladro.

2. **LOS CUBIERTOS.** En la lámpara que se ve en la foto se han usado **tenedores y cucharas** de tamaño similar, pero se pueden escoger cubiertos de diferentes tipos, solo tenedores, solo cucharas y, dependiendo del tamaño del aro, hasta podría convenir usar **cucharillas de postre.**

   En cada uno de los cubiertos hacemos un agujero con el taladro procurando que queden todos la misma distancia de su extremo. Colocamos los cubiertos en el aro usando los ganchos en forma de S.

   Finalmente, **colgamos la lámpara** del techo con una cadena para que soporte el peso y conectamos los cables del portalámparas a los de la red.

UN TOQUE RÚSTICO. Nos sirve cualquier tabla que tenga las dimensiones adecuadas. La **lijamos** ligeramente, ya que no es necesario que toda la superficie esté perfectamente pulida, sino que se trata solo de evitar que las **astillas** se enganchen a la ropa. Para ello, prestaremos una mayor atención a las **aristas** que al centro, dejándolas bien lisas.

Percha...

1. **DISTINTAS OPCIONES.** Los percheros hechos con cubiertos pueden constituir un auténtico desafío a nuestra **creatividad.** El que se muestra en la foto de la izquierda está montado sobre una tabla rústica, pero estas cucharas y tenedores convertidos en perchas también se pueden colocar individualmente en el interior de armarios, sobre el cilindro vertical de un **antiguo perchero** que se haya deteriorado y también, aislados o en grupo, directamente sobre la pared.

Para este perchero hemos elegido cucharas y tenedores de un **mismo juego** a fin de que las dos filas de ganchos queden a la misma altura, pero pueden elegirse otras opciones, como usar cubiertos de mayor a menor, solo cucharas o tenedores, etc.

Montaje...

2. **LOS AGUJEROS.** Hacemos una **marca** al comienzo del mango (entre este y el cuenco, en el caso de las cucharas) procurando que quede en todos a la misma altura. Hacemos una segunda marca a unos 3 cm de la anterior y una tercera, a unos 4 cm del borde inferior del mango. En las dos primeras marcas haremos un **agujero** con el taladro.

Por donde hemos hecho la tercera marca, sujetamos el cubierto con un alicate que abarque su ancho y procedemos a doblar la punta hacia arriba para hacer el **gancho.** Finalmente, sujetamos los cubiertos a la tabla por medio de tornillos para madera, procurando que queden a la misma altura y equidistantes.

> **NECESITAMOS:** Una tabla de madera • Papel de lija • 2 cucharas y un tenedor • Broca fina para metales • Taladro • 6 tornillos • Destornillador • Alicate
> **DIFICULTAD • MEDIA**

¿Fuera de lugar?...

1. EL SITIO IDEAL. Hay objetos, como los elementos de jardinería cuyo uso está destinado al exterior, que poseen **formas o texturas** interesantes desde el punto de vista de la decoración. Lo importante es encontrarles el **lugar apropiado.**

   El **hacha,** con sus soportes de hierro y paralela a la mesa de trabajo, se integra perfectamente con la calidez de las maderas de la pared. Si queremos suavizar su rusticidad, podemos forrar la parte final del mango con cuero, de la misma manera que se hace con las raquetas de tenis.

2. ZINC Y CRISTAL. Hay muchos recipientes que se usan en las fábricas, como los grandes frascos de cristal, las **probetas y tubos de ensayo,** que resultan excelentes contenedores a la vez que adornan cualquier estancia. Los recipientes de **boca ancha** son estupendos para guardar infinidad de cosas o para ser utilizados como floreros. En este rincón, los grandes **frascos de vidrio** oscuro contrastan con el gris claro del **cubo de zinc** que contiene los elementos de trabajo.

Portavelas... con yogures

Los frascos clásicos de cristal usados para los yogures de estilo casero se pueden reciclar como portavelas. Dan un resultado excelente ya que ayudan a difundir la luz, a la vez que impiden que la cera manche los muebles o la superficie donde apoyamos la vela. Si queremos uniformidad, solo nos queda utilizar los de la misma marca.

NECESITAMOS: Papel de estraza o cartulina • Rotulador • Tijeras • Cordel • 3 frascos de yogur • Sal gorda • 3 velitas • Sales de baño de diferentes colores (opcional) • Arena y guijarros (opcional) • Pintura y pincel (opcional)

DIFICULTAD • BAJA

---

1. UN LUGAR EN LA MESA. En una cena con muchos comensales, como las que se celebran en Navidad, podemos designar el lugar donde debe sentarse cada uno con estos **originales portavelas.**

   Primero hacemos unas **etiquetas** bonitas en papel de estraza o con cartulina, escribiendo el nombre de cada uno de los comensales con un rotulador. Atamos las etiquetas a los frascos con un cordel o una cinta, ya que si las pegásemos, con el calor se podrían desprender. **Rellenamos** cada recipiente con un dedo de sal gorda y ponemos encima la **vela**.

2. PARA UN ENCUENTRO ROMÁNTICO. Si esperamos una **visita especial,** podemos hacer los portavelas escribiendo en las etiquetas mensajes cortos, pero cargados de significado.

   Si solo queremos usarlos para una decoración general, tenemos la posibilidad de **jugar con los colores** empleando, en lugar de sal gorda, sales de baño de diferentes tonalidades, o bien otro tipo de **relleno** como arena, piedrecillas, etc.

   También podemos **pintar** los frascos, disponerlos todos juntos en una bandeja o plato, colgarlos en racimo, colocarlos junto a otros elementos naturales, como flores o piñas, etc. Las posibilidades son infinitas.

Diseños de interior

NECESITAMOS: Maletas viejas • Varios paños •
Agua tibia • Jabón neutro • Papel estampado •
Cola blanca • Barniz transparente • Brochas •
Limpiametales • Cera • Cuero líquido
DIFICULTAD • BAJA

Maletas... para no viajar

La idea vintage de reformar una vieja maleta olvidada en el trastero como motivo decorativo rescata los sueños perdidos que quedaron atrapados dentro, mientras nuestros abuelos viajaban con todo su equipaje en este reducido espacio.

1. LIMPIAR. Primero pasaremos por el cuero exterior un paño de **agua tibia** con **jabón** neutro y luego, uno solo con agua y la dejamos secar al aire.

2. RESTAURAR EL INTERIOR. Además de limpiarlo, el interior podemos forrarlo con papel o tela estampada. La técnica del **découpage** es válida (pegar el papel y barnizar encima).

3. CIERRES Y BISAGRAS. Se cambian si están rotas y si no, se limpian y abrillantan con **limpiametales** específicos.

4. ENCERADO. Se pueden aplicar varias capas de **cera** al cuero exterior cuando se seque. Si tiene roturas, se reparan con **«cuero líquido»** (una masilla del mismo color).

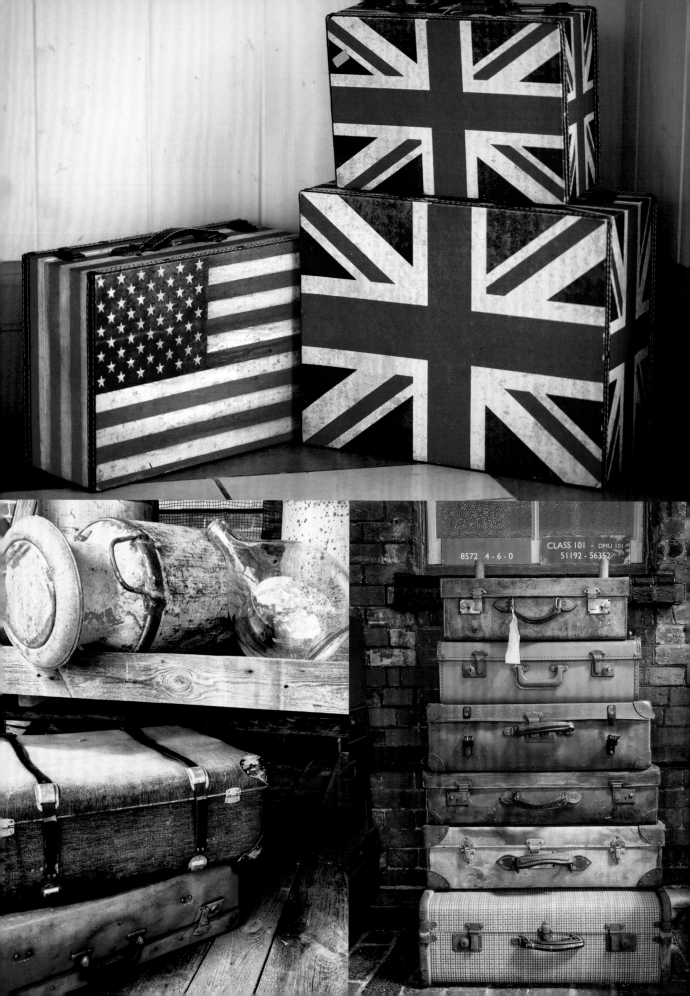

INTERNACIONALES. Usando papel pintado y la técnica de découpage, el exterior de las maletas lucirá la **bandera** del país que prefiramos. Puede ser un buen recuerdo tras un viaje o una declaración de intenciones. Para **empapelar** las maletas tenemos que limpiar bien primero la superficie y dejarla lo más lisa posible. Después, aplicaremos **cola** blanca (en bastante cantidad, ya que el cuero puede absorber una parte). Colocaremos encima el papel pintado con la bandera y, con un listón, lo iremos alisando para evitar bolsas de aire y que quede lo más perfecto posible. Aplicamos encima **barniz** acrílico y dejamos secar un par de horas, repitiendo la operación hasta que nos parezca que el papel ha quedado integrado en el conjunto.

DE MUCHOS COLORES. Una maleta muy vieja puede disimular su triste apariencia si la pintamos de un **color llamativo,** como el azulón, el naranja, el fucsia o los tonos fluorescentes. Primero, limpiaremos muy bien la maleta y aplicaremos una capa de **pintura acrílica** diluida en agua. Veremos cómo el cuero absorbe una parte de la pintura y, según se seca, deja la superficie ya preparada para aplicar la pintura sin diluir. Entonces aplicaremos varias capas de pintura,

dejando secar entre unas y otras el tiempo recomendado por el fabricante. Podemos usar un embadurnador de lana en lugar de la clásica brocha para un resultado más homogéneo.

EN PILAS. Una de las maneras más sencillas y decorativas de colocar las maletas es simplemente ponerlas en pila, **una sobre otra,** colocando siempre la más grande debajo para aumentar la estabilidad del conjunto. Podemos incluso **pegarlas** entre sí si queremos mayor seguridad.

COMO MUEBLE AUXILIAR. Podemos convertir la maleta en un mueblecito auxiliar con poco esfuerzo. Si es de tipo **baúl,** bastará con restaurarla y colocarla como si fuera una **mesilla,** pero si es más pequeña y estrecha podemos añadirle unas patas de madera. Hay quien cuelga la maleta en una pared para que sirva como original **estante** y quien aprovecha el asa y la mitad baja para hacer preciosos **cajones** sobre una estructura de madera. Con patas y tapizada por encima, puede convertirse en un divertido **asiento,** y abierta puede ser el perfecto **contenedor** de macetas para una terraza muy especial. El uso de una maleta que no viaja no tiene más limitaciones que nuestra propia imaginación.

Mesita auxiliar...
viajera

Las viejas maletas pueden ser recicladas de diferentes maneras. Una de ellas es diseñar, con el uso de las adecuadas borriquetas, pequeñas mesitas para adornar rincones, para poner una lámpara o para una infinidad de usos que, una vez terminadas, nos puedan sugerir.

NECESITAMOS: Una maleta antigua • Una borriqueta o un armazón de soporte • Cola blanca • Tornillos y destornillador • 4 patas de madera (opcional) • Un tendedero viejo (opcional) • Pintura marrón y brocha • Papel de lija
DIFICULTAD • MEDIA

---

1. EL SOPORTE. Estas mesitas son, en esencia, **muy sencillas** de realizar: se hacen con una o varias maletas viejas que, una vez restauradas, se montan sobre un **esqueleto** que les provee de patas. El **soporte** puede ser de diferentes materiales y formas.

   Una **mesilla vieja,** aunque carezca de tabla superior, nos sirve para encolar sobre ella la maleta. También pueden usarse **borriquetas de metal,** en cuyo caso será necesario atornillar sobre ellas la maleta. Por último, es posible utilizar **cuatro patas** bajas de madera, que se atornillarán en cada una de las esquinas de la maleta.

2. OTRAS OPCIONES. Un **viejo tendedero** para ropa, si se pinta de color oscuro imitación a madera, es un buen soporte para este tipo de mesita, ya que en la parte superior hay toda una superficie recta sobre la que colocar la maleta sin que pueda caerse. Eso sí, la maleta que utilicemos tendrá que ser del mismo **tamaño** o más grande que el tendedero para que no se note su procedencia.

   Antes de **pintar** el tendedero, preferiblemente de metal (los de plástico son tan frágiles que no soportarían bien el peso), debe **lijarse** hasta dejarlo liso y suave. Después, se laca con varias capas, dejando secar entre ellas. El **color** elegido debería contrastar con los tonos de nuestra maleta.

Material...

1. **RESTAURACIÓN.** Muchas maletas antiguas de cartón sobre todo las anteriores a los años 50, con el paso del tiempo se deterioran, de modo que es necesario restaurarlas.

   Si el **interior** no está en buen estado, lo primero que hay que hacer es reemplazar el papel de **forro** por uno nuevo. Si el exterior está muy mal, tras poner **parches** en los rotos, se puede pintar para disimular los defectos. Los **herrajes** rotos deberán reemplazarse.

   Las maletas **de cuero** son más resistentes, pero siempre conviene limpiarlas bien por dentro y por fuera reemplazando el forro por una **tela** nueva si fuera preciso. Para conservar el exterior usamos **cera** especial para cueros.

Colores...

2. OPCIONES. Cada mesilla puede estar formada por una sola maleta, o por más. Si tenemos una maleta con un bonito frente pero con la **superficie deteriorada,** podemos colocar otra más pequeña encima para ocultar el **defecto** jugando, en este caso, con diferentes tonos de color.

   Las maletas de cartón tienen la ventaja de que pueden **pintarse** facilmente. Esto nos ofrece la posibilidad de crear efectos variados, ya sea en diferentes maletas o en un conjunto. Otra idea interesante es pintar la maleta-mesilla de un **color uniforme** y luego pegar sobre ella **sellos** o **etiquetas de viaje** de diferentes países.

ALGO MÁS QUE UNA MESILLA. Haciendo las apropiadas **divisiones** en el interior, se puede convertir la maleta en un **costurero** o un **especiero.**

Escalera... de estantería

Las viejas escaleras de madera se pueden restaurar y reciclar para diferentes proyectos de decoración. Son ideales como estanterías para guardar libros, pero se pueden combinar varios para colocar objetos decorativos.

1. LIMPIEZA Y RESTAURACIÓN. El primer paso es quitarle a la escalera todos los **clavos salientes** que pudiera tener, **lavarla** con agua tibia y jabón, y dejarla **secar** al aire libre y en un lugar a la sombra durante dos o tres horas.

   Si le faltaran escalones, será necesario reponerlos. Sin embargo, también podemos tapar con pasta de madera los **agujeros** donde hubieran estado insertados a fin de crear un espacio mayor. Esta opción resulta especialmente interesante en caso de que la escalera se disponga horizontalmente en la pared.

2. LIJADO. Comenzaremos por emplear una **lija de grano grueso** e iremos usando **lijas más finas** hasta lograr el acabado que nos guste. Una vez terminada, la apoyamos sobre la pared.

MÁS SEGURIDAD. En las casas con niños o mascotas es mucho **más seguro anclar** la escalera a la pared que simplemente apoyarla. De ese modo, no se vendrá abajo ante cualquier empujón accidental.

escalera

MUEBLES PARA EL SALÓN. Si contamos con **más de una escalera,** podemos **encolarlas** entre sí para crear un mueble más amplio. Tras encolarlas, aplicaremos pasta de madera con una espátula en las junturas. A continuación, lijamos bien todo el mueble y lo pintamos. Se pueden lograr interesantes efectos usando escaleras de **diferentes tamaños** y eligiendo la **disposición,** horizontal o vertical, más adecuada para el ambiente.

Mesa... para salón

Los muebles fabricados a partir de palés pueden ser tan rústicos o delicados como se quiera: basta un buen lijado y una mano de pintura para olvidar su origen. Tienen, además, la ventaja de ser totalmente de madera, por lo tanto ecológicos y acordes con un sentimiento de unión con la naturaleza.

NECESITAMOS: Un palé • Alicates • Agua y jabón • Paño • Estropajo de acero • Clavos • Martillo • Pasta de madera • 4 ruedas • Tornillos • Destornillador
DIFICULTAD • BAJA

1. LIMPIEZA DEL PALÉ. Lo primero que haremos será quitar los **clavos salientes** ya que pueden resultar peligrosos. Hecho esto, **lavaremos** bien el palé con agua tibia jabonosa y un paño. Si estuviera muy manchado, podemos emplear un estropajo de acero y frotar con él suavemente. Una vez limpio, dejamos **secar** la madera al aire libre y en un lugar a la sombra.

2. RESTAURACIÓN. Si el palé está en buenas condiciones, no será necesario **restaurarlo;** pero si no fuera así, clavaremos bien las tablas que pudieran estar sueltas y taparemos los agujeros con **pasta de madera.**

3. COLOCACIÓN DE LAS RUEDAS. En el mercado hay diferentes **tipos de ruedas** para muebles de modo que escogeremos las que más nos gusten, teniendo presente que deben estar sujetas a una **superficie metálica** plana, con los agujeros correspondientes para los **tornillos.** Las que solo tienen un tornillo grueso, vertical, no sirven.

Su colocación no tiene mayores secretos, pero sí es necesario disponerlas de modo que todas queden a la **misma distancia** de la esquina correspondiente; por tanto, debemos tener cuidado a la hora de hacer las marcas para saber dónde van. Por último, solo queda **atornillarlas** en el lugar donde hemos hecho la marca y tendremos una mesa deslizante, que podremos mover a nuestro gusto.

Colores...

1. EL COLOR. Si nos gusta el palé en su **color natural,** como el que se muestra en las fotos, debemos **proteger** su madera porque al ser porosa absorberá cualquier líquido que pueda derramarse sobre ella. Después de **lijarla** y quitarle el serrín, podemos darle dos o tres manos de **barniz acrílico** transparente y mate, que es el que más desapercibido pasará.

Otra opción es utilizar un barniz apropiado para **oscurecer la madera;** de este modo, el palé quedará más disimulado.

También es posible emplear diferentes tipos de **pinturas** e, inclusive, **tintes** especiales que dejan traslucir las vetas propias de la madera. Si ponemos a trabajar la imaginación, encontraremos la opción que más convenga a nuestro comedor.

Madera vieja...

2. CONSEGUIR EL EFECTO. Podremos lograrlo preparando nosotros mismos el tinte. Bastará llenar un cuenco con **vinagre blanco destilado** y sumergir en él un buen trozo de **lana de acero,** preferiblemente fina. Al deshacerse y oxidarse, el acero teñirá el vinagre en una gama de tonos que van desde el crema hasta el marrón rojizo; todo depende del **tiempo** que dejemos la lana de acero sumergida. Si queremos un tono oscuro, como quemado, dejaremos que el vinagre actúe dos o tres días.

Antes de aplicarlo con un pincel o brocha, conviene **colarlo,** preferiblemente con **filtros** de café, para que no se adhieran trocitos de acero a la madera.

Orden... en el hogar

Los muebles modulares son una de las mejores soluciones para lograr el orden a la vez que se da personalidad propia a un espacio. Este tipo de mobiliario se puede hacer fácilmente con cajones de verduras y frutas. Podemos dejarlos al natural o bien pintarlos o adornarlos con découpage.

NECESITAMOS: 7 cajones de fruta • Agua y jabón • Una esponja • Clavos • Martillo • Papel de lija • Pasta de madera • Barniz • Brochas • Pintura blanca
DIFICULTAD • BAJA

1 PREPARACIÓN DE LOS CAJONES. Lo primero que haremos con los cajones será **lavarlos** con agua jabonosa y una esponja a fin de quitarles los restos de suciedad que pudieran tener pegados.

Habitualmente, los cajones que se usan para frutas y verduras se descuadran, ya que no se fabrican con el fin de que duren mucho tiempo sino solo como contenedor provisional. Por esta razón, una vez que los cajones estén limpios, nos aseguraremos de que también tengan sus **paredes paralelas** formando **ángulos rectos.** Al respecto, conviene descartar aquellos que tengan combadas las tablas y añadir en los demás algunos **clavos de refuerzo** en las esquinas.

2. EMBELLECIMIENTO Y MONTAJE. **Lijamos** los cajones prestando especial atención a las aristas para que no se formen astillas. Si tuvieran **agujeros** grandes que resultaran antiestéticos, se pueden rellenar con pasta de madera. Por último, podemos barnizar al natural o bien **pintarlos** de blanco.

Con respecto al montaje del mueble, como es **modular,** podemos darle diferentes formas que se adapten a la perfección al espacio elegido. No basta con colocarlos unos encima de otros, sino que hay que **anclarlos** con clavos de sujeción para que la estructura no se venga abajo.

FLOREROS. Podemos transformar cualquier recipiente en un original florero. El truco para lograrlo consiste en adornarlo con un **lazo de cinta** o con una puntilla que le confiera calidez.

CAJAS, CAJAS Y MÁS CAJAS. Son ideales para mantener el **orden.** Una sencilla caja de cartón en buen estado se puede convertir fácilmente en un interesante **objeto decorativo.** Un grupo de cuatro o cinco cajas iguales, pintadas con colores vivos que **armonicen** entre sí, pueden realzar un rincón o dar luz a una estantería.

A la vista...

1. **PAREDES QUE SON ARMARIOS.** El mismo concepto se puede aplicar al reto de guardar la ropa. Si nos decidimos por una decoración moderna e informal, dejar las prendas a la vista, por ejemplo colgadas de perchas directamente en la pared, no tiene nada de antiestético ni tampoco da aspecto de desorden. Al contrario, mantener **todo a la vista** exige una **pulcritud** excepcional, ya que la prenda debe lucirse bien planchada, bien colgada y bien colocada, como si se tratara de una **exposición.** Es una buena idea para descargar los armarios de las prendas más voluminosas, como los abrigos.

Tapas...

2. **ESCONDER UNA PARTE.** Tanto para que el **frontal** de las cajas sea más variado, como para evitar que el desorden se apodere de la casa, es buena idea que alguno de los estantes quede **tapado,** de manera que no se vea lo que hay detrás y así ocultar cosas que no queremos que se vean.

También se pueden colocar unas cajas **del derecho** y otras **del revés,** sin otra pretensión que la puramente estética: un mueble diferente. Evidentemente, si las cajas están bien ancladas unas a otras, el espacio que queda oculto no se aprovechará, pero puede servir, por ejemplo, como un **útil truco** para que los enchufes queden ocultos y, al mismo tiempo, protegidos y para que siempre haya espacio para todo tipo de cables.

Pared... para pintar

¡Una pared para poder dar rienda suelta a nuestra creatividad! Un espacio divertido para todas las edades e ideal para los dormitorios de los niños. Carteles, dibujos, anotaciones... todo cabe en ella siempre que se tenga una buena idea en la cabeza y un poco de buena mano para llevarla a cabo.

NECESITAMOS: Pintura para pizarras o, en su defecto, pintura acrílica y escayola seca • Plástico para cubrir y cinta de carrocero • Un rodillo y pinceles • Tizas de colores • Borrador para pizarra • Papel y cinta adhesiva
DIFICULTAD • ALTA

1. LA PINTURA. A veces resulta complicado conseguir en el mercado una **pintura para pizarra,** ya que no solo debe tener el color deseado sino, también, presentar un acabado especial. Por esta razón, a menos que consigamos la adecuada, lo más aconsejable es **prepararla nosotros mismos.**

   Para obtener la pintura para pizarra debemos mezclar **tres partes de pintura acrílica** con **una parte de escayola** o yeso seco y **una parte de agua caliente.** Revolveremos bien la mezcla hasta que los tres componentes se hayan integrado y no quede ningún grumo.

2. MANOS A LA OBRA. Antes de empezar a pintar, cubriremos el suelo con plástico fijándolo con cinta de carrocero. Esta misma cinta la utilizaremos también para **proteger** los **rodapiés** y los **marcos** de las puertas o ventanas que estén junto a la pared que queremos pintar. Si hubiera **molduras** en el techo que queramos dejar con su color original, también las protegeremos.

   El uso del rodillo ha simplificado mucho la **pintura de grandes superficies** haciendo más fácil la tarea, sobre todo para personas que se inician en esta actividad. También podemos usarlo para nuestra pared-pizarra, acabando los rincones y las superficies estrechas con un pincel fino.

El color...

1. **RUPTURA.** Aunque las pizarras tradicionales son **negras,** no es necesario ceñirse estrictamente a este color. Conviene, sí, que sean de algún **color oscuro** para que en ellas destaquen los colores de las tizas que habitualmente se emplean. Por ello, conviene tener en cuenta los colores presentes en el resto de la habitación ya que un burdeos oscuro, un violeta o un marrón rojizo pueden cumplir con su cometido a la vez que **armonizan** con cortinas, cojines o con el resto del mobiliario.

Qué poner...

2. **MUCHAS IDEAS.** El contenido de la pizarra variará en función de quién la utilice. Si está en el **dormitorio de los niños,** ellos mismos se encargarán de adornar su parte inferior y a nosotros nos dejarán participar allí donde ellos no lleguen. El resultado será siempre **divertido.**

Si su sitio es un **despacho,** puede contener un planning para ser rellenado día a día, un rincón para apuntar aquello que no debemos olvidar, y también dibujos o frases que nos resulten significativos. También es buena idea dejar un espacio para llenarlo de **frases motivadoras** que nos hagan trabajar con alegría.

Podemos **enmarcar** nuestros mejores dibujos o textos pegando, a su alrededor, cintas de colores (washi tape) y conservarlos más tiempo que los simples apuntes a tiza.

Mesa... con borriquetas

Las mesas montadas con borriquetas tienen sobre las demás la ventaja de que, mientras no se utilizan, pueden guardarse en un espacio reducido. En cuanto al estilo, elegir las rústicas borriquetas de madera o las ligeras borriquetas de metal es simplemente cuestión de gustos.

NECESITAMOS: Dos borriquetas • Un cepillo • Agua y jabón • Estropajo • Un tablero • Papel de lija • Pinturas y barnices
DIFICULTAD • BAJA

1. BORRIQUETAS. Las de madera son muy comunes en las **obras de construcción** y normalmente pasan mucho tiempo al aire libre, así que suelen estar bastante sucias, de modo que el primer paso es **limpiarlas.** Si no tenemos una pila grande, debemos hacerlo en la bañera o en un lugar abierto.

Primero quitaremos los restos de tierra y polvo con un **cepillo** y luego, con agua jabonosa y un **estropajo,** los restos de cemento o pintura que pudieran tener, y las dejamos **secar** al aire libre. A las de metal que no hayan estado al exterior bastará con pasarles un **trapo húmedo.**

2. TABLERO. Conviene que la tabla que forma la superficie de la mesa armonice con las borriquetas. Si son rústicas, el tablero puede ser una **plancha de madera** en color natural.

Las borriquetas de metal admiten muy bien los tableros de **formica,** que son los mejores para las mesas de trabajo, ya que pueden limpiarse fácilmente con un paño húmedo.

Si son negras, como la mayoría, admiten perfectamente cualquier color de tablero. Algunas borriquetas tienen agujeros para poder fijar el tablero por medio de **tornillos,** lo cual no será necesario si la mesa se emplea solo como soporte de objetos y no como lugar de trabajo, aunque siempre es recomendable por seguridad.

ORIGINAL CABALLETE. Los aficionados a la **pintura** pueden encontrar un soporte para grandes **lienzos** en este tipo de mesas. Si se coloca detrás un **listón** donde apoyarlo, no habrá un caballete más cómodo y funcional.

Futón... con palés

Estudiando la peculiar forma de los palés, se nos pueden ocurrir mil ideas para reciclarlos. Una de las más sencillas y útiles consiste en convertirlos en futón. El trabajo es mínimo y el resultado vale la pena.

1. LIMPIEZA. **Lavamos** bien los palés con agua y jabón y los dejamos **secar** al aire libre. Si tuvieran clavos salientes, los retiramos con unos alicates. **Lijamos** bien toda su superficie para que no se formen astillas que enganchen las cobijas.

2. BLANQUEADO. Si queremos **blanquear** la madera, podemos utilizar lejía diluida en agua. Una vez seco el palé, se puede aplicar una capa de **barniz.**

3. ENCOLADO. Pasamos un paño húmedo por las superficies que vayan a ser encoladas para eliminar cualquier resto de serrín; las **encolamos** y las atamos para que no se muevan durante el secado y podamos crear una base bien sólida.

4. ACABADO. Lo tradicional en los futones es que el **color** de la madera sea el **natural.** En este caso, emplearemos **barniz** acrílico brillante o mate. Puede interesarnos que el futón sea de color, en cuyo caso emplearemos **pintura** para madera o **tintes,** que permiten ver la veta. Para dar un aire antiguo, **envejeceremos la madera.** Dejamos en vinagre blanco destilado un trozo de lana de acero y cuando tome el color que nos guste, colamos y aplicamos con un pincel.

Puerta... misteriosa

Antigua o rústica, siempre inesperada en un dormitorio, nos invita a pensar en lo que estará ocurriendo detrás. Este objeto decorativo interrumpe la monotonía de la pared o realza un espacio o rincón vacíos. Todo es cuestión de encontrarle el lugar adecuado.

NECESITAMOS: Una puerta vieja • Papel de lija • Lejía • Lana de acero • Vinagre • Barniz acrílico y brocha • Un herraje de hierro (opcional)
DIFICULTAD • BAJA

---

1. PREPARACIÓN. Si queremos que la puerta tenga el aspecto envejecido de la que vemos en la foto, será necesario **aclararla** primero con **lejía**. Esto le dará un toque aún más **rústico** porque la madera no se decolorará de forma absolutamente pareja.

Es conveniente revisarla por si tiene astillas, en cuyo caso las **lijaremos.** Si una vez aclarada queremos darle un tono más oscuro y envejecido, sumergimos un trozo de **lana de acero en vinagre** durante el tiempo necesario para que el líquido oscurezca a nuestro gusto. El vinagre, una vez colado, es un tinte perfecto para dar un aspecto antiguo.

2. ACABADO. Una vez que la superficie de la puerta ha quedado a nuestro gusto, conviene aplicarle **dos capas de barniz** para protegerla y evitar que acumule demasiado polvo. El barniz hará que sea más fácil de limpiar. Si queremos conservar el color y el aspecto, usaremos barniz **acrílico mate.**

Según el tipo de puerta que hayamos conseguido, podríamos adornarla con un **herraje de bronce** o hierro colocado sobre la cerradura. Otra opción a considerar es añadirle un **tirador** adecuado. Los hay de diferentes tipos, tamaños, estilos y en los más diversos materiales. Se trata de añadir un elemento que aporte un encanto especial o algo de elegancia sin perder de vista el resto de la decoración.

PROVENZAL. Las maderas que conservan su color natural **armonizan** con otros **elementos rurales** como las ramas secas, las flores, las cestas de mimbre y todo lo que nos recuerde la naturaleza.

IDEA COMBINADA. Si tenemos **tres puertas iguales,** con unas **bisagras** y un pequeño trabajo de carpintería podemos convertirlas en un **biombo** muy original, útil y decorativo. Nos proporcionará un nuevo espacio en el dormitorio principal, que podremos aprovechar como más nos guste, por ejemplo como lugar de relajación y meditación.

puertas...

1. **DECORATIVAS Y ÚTILES.** Una vez restaurada, la puerta puede cumplir diferentes propósitos. Podemos usarla como **superficie** para colgar cuadros o para ser usada como **tablero,** donde pegar frases que nos gusten, textos de aliento, fotos, etc.

   También puede servirnos de **perchero.** Para ello bastará con comprar uno o varios **ganchos metálicos** para colgar la ropa y colocarlos en su parte superior.

mesas...

2. **PUERTAS PEQUEÑAS.** Las que puedan haber quedado de algún mueble se pueden reciclar como **mesillas.** Solo tendremos que quitarles las bisagras, si es que aún las tienen, y seguir los pasos de **restauración** que hemos explicado para las grandes. Hecho esto, tendremos que conseguir un **soporte** de madera o de metal para proveerle de patas o, simplemente unas **patas plegables.**

MARCO. Podemos usar la puerta para colocar **cuadros o fotos.**

USOS. Una **mesita** fabricada con una **puerta pequeña** es el mueble ideal para tomar el desayuno en la cama.

Dormitorio... reciclado

En nuestro entorno hay muchísimas cosas que admiten el reciclado con una dosis de osadía y otra de confianza: las viejas bolas de Navidad pasan a ser hermosas guirnaldas; los cajones de fruta, estanterías; las hueveras, papeleras, etc.

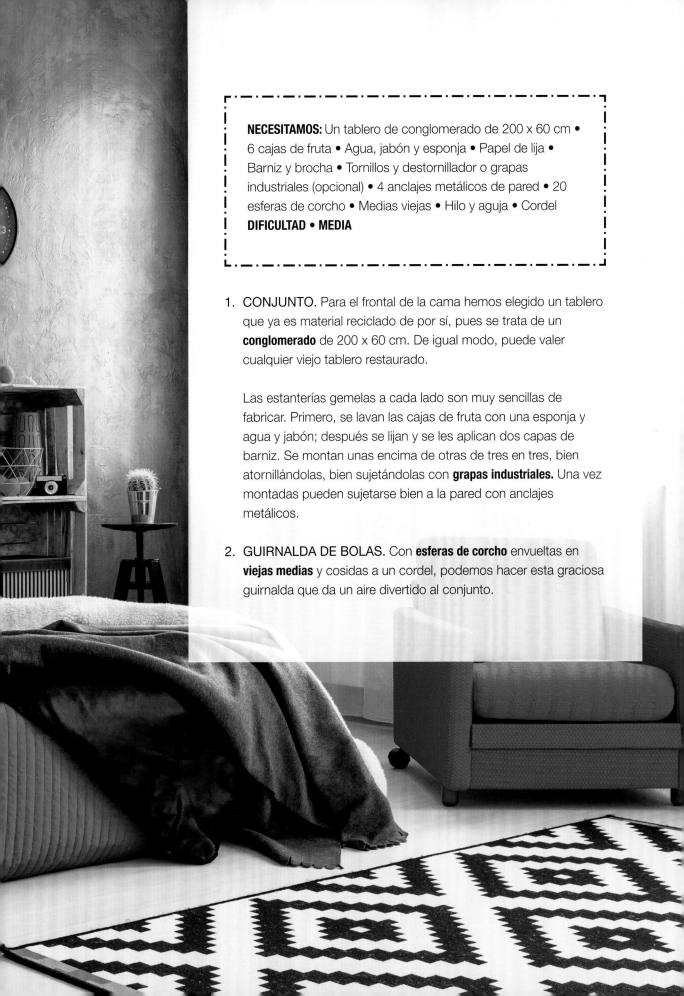

NECESITAMOS: Un tablero de conglomerado de 200 x 60 cm •
6 cajas de fruta • Agua, jabón y esponja • Papel de lija •
Barniz y brocha • Tornillos y destornillador o grapas
industriales (opcional) • 4 anclajes metálicos de pared • 20
esferas de corcho • Medias viejas • Hilo y aguja • Cordel
DIFICULTAD • MEDIA

1. CONJUNTO. Para el frontal de la cama hemos elegido un tablero
    que ya es material reciclado de por sí, pues se trata de un
    conglomerado de 200 x 60 cm. De igual modo, puede valer
    cualquier viejo tablero restaurado.

    Las estanterías gemelas a cada lado son muy sencillas de
    fabricar. Primero, se lavan las cajas de fruta con una esponja y
    agua y jabón; después se lijan y se les aplican dos capas de
    barniz. Se montan unas encima de otras de tres en tres, bien
    atornillándolas, bien sujetándolas con **grapas industriales.** Una vez
    montadas pueden sujetarse bien a la pared con anclajes
    metálicos.

2. GUIRNALDA DE BOLAS. Con **esferas de corcho** envueltas en
    viejas medias y cosidas a un cordel, podemos hacer esta graciosa
    guirnalda que da un aire divertido al conjunto.

Cajas... como estantería

A las cajas de madera se les pueden dar múltiples funciones y construir con ellas ingeniosos muebles decorativos. En este caso hemos empleado cajas de varios tamaños, hechas con cuatro tablas, para crear una original estantería.

1. HACER EL DISEÑO. Vamos a construir **dos estanterías de 60 x 30 cm**; otras **tres de 30 x 30 cm; tres de 15 x 30 cm** y **tres de 45 x 30 cm**. El fondo puede ser el que queramos, pero siempre el mismo. Podemos hacer el **diseño** en papel cuadriculado primero, porque así tendremos un mapa de cómo queremos hacerlo. El **espacio** que dejaremos **entre cada cajón** será de **3 cm**. Con un lapicero, procedemos a medir cada pieza en el tablero y marcamos para no perdernos después.

2. **CORTE.** Con una sierra de calar, **cortamos** el tablero en el número de piezas que hemos dibujado.

3. **CAJAS.** Vamos montando cada caja **pegando** con cola de carpintero las cuatro paredes. Una vez que estén todas hechas, comenzamos a **marcar en la pared** en qué lugar irá cada una, midiendo el espacio que ocuparán y la separación que habrá entre ellas, según el **esquema** que hemos dibujado previamente.

4. **ARMADO.** En las esquinas superiores de cada caja colocamos **una placa** con un espacio para poder **colgar** el mueble y que aguante peso. Normalmente, se coloca una **pieza metálica con un tornillo** a cada lado que deja un espacio en medio. En la pared, **taladramos** para meter un taco y una alcayata por cada colgador. Ya solo falta colocar el cajón de madera. Si está **bien medido,** el resultado será un mueble muy original en el que poder colocar libros, jarrones con flores, o cualquier otro adorno.

Sofá... con cajas y palés

Un moderno sofá para relajarse. Ya sea pintado o con la madera al natural, resulta cómodo y práctico, ya que las cajas pueden servirnos como almacenamiento. Es muy fácil de hacer y puede adoptar cualquier forma y dimensión.

NECESITAMOS: 6 cajas de madera • 2 palés • Tornillos o pegamento (opcional) • Tela de algodón • Hilo y máquina de coser • Relleno de cojín
DIFICULTAD • BAJA

1. **ELECCIÓN DE LAS CAJAS.** Como están destinadas a **soportar peso,** es importante que sean sólidas y que la unión de sus paredes esté hecha con **encastres.** Deben ser, además, todas del **mismo tamaño.**

2. **PALÉS.** Vamos a usar solo la **parte superior** de los palés, es decir, las tablas que soportan el peso y las transversales que las unen. Las primeras irán perpendiculares a la pared; su conjunto formará el ancho del sillón.

3. **ARMADO.** Las cajas podemos dejarlas sueltas o unirlas mediante **tornillos o pegamento.** Sobre ellas pondremos los dos palés sin unir utilizados como respaldo, ya que de este modo nos resultará más cómodo usar las cajas como **contenedores.**

4. **TAPICERÍA.** Admite muchos tipos de **telas** pero si usamos madera natural, las lisas son las que mejor quedan. Haremos las **fundas cosiéndolas** del revés con máquina de coser, introduciremos el relleno y terminaremos de coser a mano.

Vestidor... reciclado

Los vestidores deben ser prácticos ayudantes para organizar la casa. Allí guardamos, a la vez que tenemos a la vista, toda nuestra ropa: desde sombreros hasta zapatos. Con un poco de imaginación y unas cajas de frutas, podemos aprovechar cualquier rincón para montar uno.

NECESITAMOS: 4 cajas de fruta • Agua y jabón • Alicates • Clavos y martillo • Papel de lija • Pintura o barniz • Brocha • Una rama resistente • Cable o hilo de nailon invisible • 2-3 tacos y otros tantos cáncamos para colgar del techo
DIFICULTAD • MEDIA

1. PREPARACIÓN DE LAS CAJAS. Desechar las que tengan las tablas combadas. Las que hayan contenido frutas o verduras suelen estar manchadas, por eso es necesario **lavarlas** bien con agua tibia y jabón y dejarlas **secar** al aire libre. Posiblemente tengan clavos salientes que haya que quitar y otros oxidados que serán reemplazados por **clavos nuevos.**

   Así preparadas, las **lijamos** (sobre todo las aristas, que son las que suelen producir astillas) y las **pintamos** o tintamos por dentro y por fuera. Si queremos madera al natural, empleamos barniz acrílico mate.

2. EL COLGADOR. Una **rama larga y seca** puede cumplir perfectamente esta función. A la hora de escogerla, debemos tener en cuenta no solo su longitud sino también su **diámetro,** ya que si es excesivo no se podrán enganchar las perchas en ella. Lo mejor es **colgarla** del techo colocando unos tacos con cáncamos y un cable o hilo fuerte, pero transparente.

Baños...

1. EN CONTACTO CON LA NATURALEZA. El baño es quizás la habitación en la que lucen más los **elementos naturales:** maderas, piedras, manojos de hierbas, caracolas marinas... A una **rama bien pulida** le dejamos algunas ramas laterales, la colgamos del techo con un cable invisible y obtenemos un bonito **toallero,** práctico y decorativo. Solo nos resta elegir el color adecuado para las toallas, desde uno de la gama de los pardos hasta cualquiera que **contraste** con el conjunto.

Volúmenes...

2. **COLGADOR EN EL AIRE.** Para obtener la sensación de que el colgador está **flotando en el aire,** podemos utilizar un **hilo de nailon** grueso y resistente para suspenderlo del techo. Otra opción es usar **cuerdas.** Podemos emplear **hilo de cáñamo o sisal,** de color natural para que armonice con el conjunto o bien teñir cuerdas de algodón en un color que contraste con la rama y la pared.

3. **TRUCO.** En la **pared blanca** resaltan las toallas de un gris oscuro; y en la foto se puede observar que una de ellas no está en el toallero, sino suspendida de un clavo en la pared. Con este simple **detalle** se consigue dar mayor **sensación de volumen** al conjunto a la vez que se aporta ligereza y sutilidad a la rama.

Materiales...

4. **LUZ Y NATURALEZA.** Aunque los baños pueden estar decorados con **colores oscuros,** el empleo del **blanco** es casi una necesidad ya que proporciona sensación de **higiene** y frescura. La madera ocupa en esta habitación un lugar privilegiado: desde el colgador hasta el taburete que cumple las veces de mesilla, destaca su color pardo sobre el blanco impoluto de la pared.

Remata el conjunto un gran **cesto rústico** que contiene, además, algunas **ramas** muy pulidas como adorno. Otros elementos que encajarían con esta decoración son las **piedras:** una caja pequeña de madera con cantos rodados o piedras grandes en tonos grises, blancos o pardos en un rincón.

PERCHERO. Sujetando una **horqueta** a la pared con una abrazadera de metal, podemos conseguir un excelente **perchero.**

PULIDO NATURAL. Junto a lagos, ríos o en lugares cercanos al mar podemos encontrar **maderas pulidas** naturalmente.

Estante... suspendido

En esta decoración, las maderas cobran un protagonismo indiscutible logrando con su presencia un rincón cálido y acogedor. La estantería que contiene los libros es solo un tronco o tabla en color natural, suspendido del techo por gruesas cuerdas de cáñamo.

NECESITAMOS: Una tabla de madera • 6 m de cuerda gruesa, de cáñamo • 2 cáncamos grandes por los que se pueda pasar la soga dos veces • Taladro y broca para pared
DIFICULTAD • MEDIA

1. **LA TABLA.** Lo más elegante es usar una **tabla de madera natural,** sin pintar y, a lo sumo, con un **barniz** mate.

2. **LAS CUERDAS.** Hemos empleado **cuerdas de cáñamo** en su color natural. Si la madera estuviera pintada, podríamos emplear **sogas de algodón** teñido con colores a juego con la tabla.

3. **MONTAJE.** Tras colocar unos **ganchos** en el techo, pasamos un extremo de la soga por el de la derecha, luego por el de la izquierda y bajamos hasta la altura de la tabla; volvemos hacia arriba y pasamos nuevamente la cuerda por los dos **cáncamos.** Bajamos hasta dejarla a la altura de la anterior, subimos y anudamos. Pasamos la tabla por los extremos haciendo el **nudo** que se ve en la foto o apoyando la tabla en las cuerdas.

IDEAL PARA UNA COCINA o para cualquier rincón que tenga una **pared de ladrillos,** pintada o al natural. No pondremos encima objetos que puedan romperse, ya que el **columpio** podría balancearse. Lo más indicado es colocar **libros.**

Lavabo... de granjero

Ingenioso y original lavabo, ideal para una casa rural o para un cuarto de baño pequeño. A menos que se tengan unos mínimos conocimientos de fontanería, es mejor dejar su elaboración en manos de un profesional y emplear esta idea solo como adorno.

1. CUBO DE ZINC. Debemos hacer un **agujero** en su base para introducir el **tubo del desagüe** y, para ello, mediremos el **diámetro** del tubo y usaremos una broca del mismo diámetro.

2. BANCO. Con una **broca de madera** del diámetro del tubo, hacemos un agujero en la tabla del banco para pasar el desagüe. Para montarlo

3. MONTAJE. Cortamos la entrada de agua al recinto. Usando siempre **juntas de fontanería** para que no haya pérdidas, instalamos los **grifos** y el desagüe. Conectamos este al cubo de zinc.

4. FALSO LAVABO. Si el sistema no estuviera conectado a la red de agua, podemos **pegar** los grifos en la pared **con silicona** y no hacer los agujeros ni al cubo ni al banco; solo pegar a este la tubería simulando el desagüe.

Diseño... infantil

Las habitaciones infantiles, con su variedad de colores y formas, posiblemente sean las que más fácilmente admiten objetos reciclados. En ellas podemos hacer estanterías con cajas, guirnaldas de papel o tela, alfombras con restos de lana y muchas cosas más. Por otra parte, la diversidad de objetos es positiva para el desarrollo de los pequeños.

NECESITAMOS: 4 cajones de fruta • Agua y jabón • Clavos y martillo • Papel de lija • Pintura blanca y brocha • Tornillos y destornillador • Retales de tela • Tijeras • Hilo y aguja • Cordel • Unas 20 bolas de corcho blanco • Calcetines de colores viejos • 4-5 cajas de cartón viejas • Papel de envolver regalos • Pegamento de barra
DIFICULTAD • BAJA

1. ESTANTERÍA. El proceso para acondicionar unas **cajas de fruta** como estantería ya lo hemos visto en otros proyectos (véanse páginas 58 y 74). Habrá que **lavarlas, remacharlas** con clavos si estuvieran deterioradas, **lijarlas y pintarlas** de blanco. Después, podemos **apilarlas** sujetándolas con tornillos para que sean más estables. Ahora vamos a centrarnos en la decoración.

2. GUIRNALDAS. Hemos utilizado **dos tipos** de guirnaldas. La primera está formada por **triángulos de tela cosidos** de dos en dos para que tengan **doble cara** y unidos a un cordel con el que colgaremos la guirnalda. Podemos emplear telas de colores o bien estampados similares a los de las cortinas o colchas (lo ideal es ir guardando los **retales viejos** de otros proyectos). Para los más pequeños, conviene emplear **diseños geométricos** sencillos, algunos en blanco y negro, porque esos colores les ayudarán a aprender a focalizar mejor la vista.

La otra guirnalda tiene como base **bolas de corcho blanco** que se han forrado con **calcetines** de colores desparejados.

3. CAJAS DE CARTÓN. Cualquier caja vieja puede **forrarse** con **papel de regalo,** usando pegamento de barra y alisando bien la superficie. Tendremos así buenos contenedores para juguetes.

MACETAS. Podemos poner algunas **plantas,** siempre y cuando no sean excesivas; aunque consumen **oxígeno** por la noche, la cantidad es mínima y no afectará al niño.

ORDEN. Se consigue usando **cajas** que no dejan nada a la vista, pero cuyos **estampados** resultan decorativos y llamativos.

Vitrina... restaurada

Antiguamente las decoraciones se hacían observando en cada estancia un estilo definido. Hoy, sin embargo, se apuesta por la mezcla, por la combinación de elementos antiguos que lucen destacados sobre una decoración moderna y funcional.

1. LIMPIEZA. Lo primero que tenemos que hacer con nuestra vitrina es **lavarla** bien con agua y jabón, secarla con un paño limpio y ponerla al aire libre para quitarle cualquier resto de **humedad.**

2. RESTAURACIÓN. Tapamos cualquier **agujero** con pasta de madera. Clavamos o encolamos todas las maderas que estuvieran sueltas, reponemos **el cristal** en caso de que esté roto, ajustamos todas las bisagras para que las puertas estén firmes, cambiando las que estén en mal estado, y **lijamos** todo el mueble por fuera y también las baldas. Ponemos un **herraje** en la cerradura si faltara.

Si el mueble tuviera la pintura o el **barniz** deteriorados, antes de lijarlo necesitamos utilizar **gel decapante** para retirarlos.

Al natural...

1. MADERA. Lo bueno de la madera natural es que admite todo tipo de **colores.** Si una vez lavado tuviera manchas o quisiéramos que la madera tuviera **un tono más claro,** antes de lijarlo le daremos una o dos manos de **lejía** con un paño.

Si lo queremos **oscurecer o envejecer,** sumergimos un trozo de **lana de acero** en un cuenco con **vinagre blanco** destilado y lo dejamos reposar. Cuanto más tiempo pase, más oscuro se volverá el líquido, razón por la cual podemos ir probando el tono en la esquina inferior de algún cajón hasta dar con el que más nos gusta.

Antes de pasar el líquido por el mueble conviene **colarlo,** preferiblemente con un **filtro** para café, ya que podríamos arrastrar con el pincel pequeños trozos de lana de acero, estropeando el trabajo.

Blanco...

2. PÁTINA. Para patinar en **blanco** el mueble mezclamos en un bol dos cucharadas de agua con una cucharadita de café de pintura acrílica blanca mate. Mezclamos bien procurando no hacer burbujas. Alisamos el mueble con **un cepillo** de cerdas de latón. Aplicamos una mano de la mezcla con una **brocha de pelo suave** y retiramos el exceso de humedad con un paño de algodón bien limpio. Si queremos levantar la pátina de alguna zona, lo hacemos con un paño húmedo y si queremos más pátina, volvemos a aplicar otra mano de la mezcla.Terminamos el trabajo con una mano de **barniz acrílico** mate.

Estantes... entelados

En una cocina espaciosa, puede quedar muy bien un antiguo ropero previamente restaurado o una vitrina. Si además lo pintamos de blanco y entelamos las baldas, el resultado será espectacular.

1. RESTAURACIÓN. Tras **lavar** el mueble con agua y jabón y dejarlo **secar** al aire libre, lo inspeccionamos para comprobar que las puertas **encajen** bien. Si estuvieran desportilladas, convendrá cambiar las **bisagras. Lijamos y pintamos** el mueble.

2. BALDAS. Tomamos las **medidas** del ancho interior del mueble y de su profundidad y conseguimos **tablas** que tengan esas dimensiones; también **varillas** de madera de 2 x 2 cm y de igual largo que la profundidad del armario. Clavamos estas varillas a los costados, alineadas, para sujetar las **baldas.**

3. ENTELADO. **Envolvemos** cada balda con la **tela** escogida y la sujetamos. Podemos hacerlo con pegamento, pero lo adecuado es utilizar **chinchetas** o clavos de tapicería porque queda más estirada.

Palés... en blanco

En un ambiente decorado con elementos naturales, los muebles hechos con palés pintados de blanco encajan a la perfección. Estanterías, mesas, sillones, futones y lo que la imaginación diseñe realzarán cualquier rincón y contribuirán a la luminosidad de la estancia.

NECESITAMOS: 9 palés • Alicates • Agua y jabón • Estropajo de acero y paño • Papel de lija de grano 80 o 100 • Pasta de madera • Espátula • Pintura blanca y brochas o rodillo
DIFICULTAD • MEDIA-ALTA

1. LIMPIEZA. Independientemente del tipo de mueble que queramos construir, antes de ponernos a ello debemos **restaurar y preparar** los palés y el primer paso es retirar, con cuidado de no herirnos, cualquier **clavo o astilla** que pudiera sobresalir.

Hecho esto, procedemos a **lavar** el palé con agua tibia y jabón para quitarle el polvo o las manchas. Si estuviera muy sucio, utilizamos un **estropajo de acero.** Tras enjuagarlo, le pasamos un **paño seco** para absorber la humedad y lo dejamos secar completamente al aire libre y a la sombra.

2. LIJADO Y RESTAURACIÓN. Antes de **lijarlo,** pensemos si vamos a emplear el palé entero o solo parte de él. Si elegimos esta segunda opción, deberemos desclavar las partes que necesitemos. Lijamos todas las maderas con un papel de lija de grano 80 o 100 pasándolo siempre **en la misma dirección** para evitar las marcas y prestando más atención a las aristas. Quitamos el serrín con un trapo húmedo y dejamos secar la madera unos minutos.

Si el palé tuviera agujeros producidos por los **nudos de la madera,** los taparemos con pasta de madera, aplanándola con una espátula. La dejamos secar y luego lijamos un poco más esa zona para que la pasta no sobresalga.

LUZ Y COLOR. El blanco tiene la ventaja de admitir **cualquier color.** Los verdes brillantes de las plantas o los rojos de las tapicerías combinan a la perfección con los palés.

Estilo...

1. **ELECCIÓN DE LA PINTURA.** Puede ser **acrílica o sintética;** la primera, más fácil de usar, es de **secado más rápido** y no emite prácticamente olor. La segunda es más **resistente** y presenta un mejor acabado tipo laca, pero para ello hay que aplicarla con pistola.

Colores...

2. ACABADO. Para quienes no tienen experiencia en pintura, es preferible el **rodillo** pequeño a los **pinceles,** ya que es más fácil de utilizar.

Tras aplicar una primera mano de pintura, la dejamos secar, lijamos las marcas de rodillo o pincel y aplicamos una **segunda capa.**

SENCILLEZ Y BUEN GUSTO. Estos palés están **simplemente apilados** entre sí; de esta manera, es fácil variar la forma del sillón según las necesidades.

Jardines reciclados

Jardinera... rodante

Los viejos neumáticos también se pueden reciclar. En este caso, hemos optado por pintarlos de diferentes colores con la idea de hacer este original jardín vertical. El trabajo es mínimo pero el resultado, espectacular e ideal para terrazas y jardines.

NECESITAMOS: 2 neumáticos • Cepillo de cerdas gruesas • Agua y jabón • Un paño • Papel de lija • Pintura de color rojo, verde y azul • Taladro • Guijarros, tierrra y semillas • 4 ganchos en S
DIFICULTAD • BAJA

1. LIMPIEZA. Con un **cepillo** de cerdas gruesas, agua tibia y detergente, **lavamos** bien los neumáticos, sobre todo su parte exterior. Les pasamos un **paño limpio y seco** y los dejamos al aire libre para que se evaporen los restos de humedad.

2. PREPARACIÓN. Antes de pintar los neumáticos con un pincel, los **lijamos** por fuera para que la pintura se adhiera mejor y quitamos el polvo con un **paño húmedo.** Los dejamos **secar** cinco minutos. También realizamos algunos **agujeros** en la parte inferior para que drene el agua.

3. ACABADO. Colocamos un puñado de **piedrecillas y tierra** en su parte inferior, trasplantamos o **sembramos** y colgamos el neumático de la pared utilizando un gancho en S.

Latas... de colores

Reciclando las latas de cualquier tamaño y forma, podemos hacer excelentes tiestos para plantas. Pintadas de colores vivos y colocadas en grupo, quedan muy bien en los balcones, colgadas de las rejas, o en cualquier rincón de la casa. Pura naturaleza doméstica.

NECESITAMOS: 12-20 latas • Lima gruesa • Un clavo gordo • Un martillo • Pintura roja y amarilla • Pincel • Alambre • Guijarros, tierra y semillas (o plantas)
DIFICULTAD • BAJA

1. PREPARACIÓN. Debemos cerciorarnos de que, tras haber quitado la tapa superior de las latas, no queden en el borde **virutas** que nos podamos clavar. Si las hubiere, pasamos una **lima** para retirarlas o las aplanamos con un **martillo.**

   Después de quitar el **papel** y los restos de **pegamento** del exterior de la lata, realizamos en su base unos **cinco agujeros** utilizando un clavo grande y un martillo. Si la lata tuviera más de 10 cm de diámetro, hacemos más. Estos agujeros servirán para **drenar** el exceso de agua tras regar las plantas.

2. COLOR. **Pintamos** las latas con los colores que más nos gusten y las **dejamos secar** bien. Conviene darles al menos **dos manos.**

   Utilizando la técnica de **découpage,** podemos decorar las latas con imágenes o dibujos de todo tipo. Para preservar el trabajo de la lluvia, conviene aplicarles después un par de manos de **barniz sintético.**

3. MONTAJE. Si queremos **colgar la lata** de la pared, antes de llenarla de tierra y de flores debemos hacer uno o **dos agujeros** próximos al borde superior para pasar por ellos un **alambre.** El trasplante lo haremos como en cualquier tiesto: unos guijarros en el fondo para el drenaje, tierra y la planta en el centro.

Jardín... colgante

Las botellas de plástico son uno de los objetos que más posibilidades ofrecen a la hora de reciclar y, si nos gusta la jardinería, podemos hacer con ellas hasta una cúpula que sirva de invernadero.

1. LAS BOTELLAS. A menos que nuestra idea sea disponer plantas pequeñas, lo mejor es conseguir **botellas de 2,5 l** o más, ya que son las de mejor tamaño. Lo primero que hacemos es **lavarlas** bien por dentro y por fuera con agua tibia y detergente; sobre todo si han contenido aceite o cualquier sustancia tóxica. También **retiramos la etiqueta y los restos de pegamento externos**.

2. CORTE. Para que nos quede recto, colocamos la botella **boca abajo** y, con cinta de carrocero, marcamos la altura de corte. Luego, procedemos a **cortarla** con unas tijeras. Tras el corte, en ambas partes nos quedará un **borde filoso** que puede ser molesto a la hora de hacer los trasplantes. Para eliminarlo, calentamos una plancha a temperatura media, sin vapor, y pasamos por el borde de la botella.

LAS ESPECIAS. En un rincón soleado de la cocina podemos hacer una **mini-huerta** con plantas aromáticas, medicinales y especias.

Uniformidad...

1. **... O VARIEDAD.** Podemos cortar las futuras macetas a un **mismo tamaño** o bien dejarlas a **diferentes alturas.** Si la idea es construir un **móvil,** esta opción puede servirnos para equilibrarlas con mayor facilidad.

Agujeros...

2. CÓMO HACERLOS. Sujetamos el clavo con unos alicates y, en la **zona curva** inmediata al cuello de las botellas, hacemos varios **agujeros para drenar** el exceso de agua.

   También podemos usar el clavo para hacer otros agujeros cerca de la parte superior, a fin de sacar por ellos algunas ramitas.

Montaje...

3. GENERAL. Calentamos nuevamente el clavo y hacemos un agujero en el centro de cada tapón. Podemos utilizar un **alambre largo** para enganchar varias botellas entre sí, en cuyo caso bastará hacer en él un pequeño **pliegue** para que la botella no se deslice, o bien pasar una **cuerda** por el interior de la botella y del tapón atándole un **botón** al extremo para sujetarla. Con **varillas de bambú,** podemos hasta hacer un móvil con los tiestos.

   Una vez diseñada la estructura de nuestro jardín colgante, procedemos a llenar cada botella con **tierra,** colocando primero unos **guijarros** para el drenaje y, en el centro, la planta o **semilla.**

TELA. Nuestras macetas quedarán muy bien si completamos la decoración con **telas enrolladas** desde el techo.

Jardín... embotellado

Con unas tablas de madera y unas botellas de refresco,
adornamos esta pared sin que el agua de riego deteriore
su pintura. Es un jardín vertical con gran variedad de
plantas que siempre recibe una buena cantidad de sol .

NECESITAMOS: 3 tablas de las mismas dimensiones • Taladro • Tacos • Tornillos • Destornillador • 12 botellas de plástico • Un clavo • Guijarros, tierra y plantas • Ganchos en S
DIFICULTAD • BAJA

1. ESTRUCTURA. Lo primero que haremos será una estructura de madera para colgar tiestos. Para **cada tabla,** hacemos dos marcas en la pared, a la misma altura del piso y en ambos extremos. Realizamos un **agujero** con el taladro en cada marca y un tercero más, entre ambos; es decir, en la parte media de la tabla. Introducimos un taco en cada agujero y **fijamos** la tabla con tornillos ya que, como soportarán peso, los clavos no serán suficientes.

2. TIESTOS. Siguiendo las instrucciones de la página anterior, **lavamos y cortamos las botellas** a la altura deseada.

Realizamos un agujero a unos 3 cm del borde superior usando un clavo. Llenamos las botellas con **guijarros, tierra y plantas** y las colgamos de la tabla pasando por el agujero superior un **gancho en S.** Si queremos una **mayor firmeza,** fijamos a la tabla **cáncamos** para pasar los ganchos.

NECESITAMOS: Un palé • Taladro, tacos, tornillos y destornillador • 4 jardineras • Soportes en L • Guijarros y tierra • Plantas
DIFICULTAD • MEDIA

Jardineras... en palés

Otra forma de aprovechar los palés es utilizarlos para montar estructuras que soporten jardineras plásticas o botellas recicladas. Una estupenda solución tanto para exterior como para interior.

1. FIJAR LA ESTRUCTURA. Podemos quitar una de las caras al palé o bien aprovecharla para **fijarlo a la pared.** De esta manera los tornillos que necesitemos serán de una longitud más común y regular que si lo fijamos por los **travesaños** perpendiculares a la superficie.

   Conviene realizar previamente los agujeros en la pared e introducir **tacos de plástico o madera** sobre los cuales fijar los tornillos, ya que esto aportará **resistencia** al conjunto.

2. LAS JARDINERAS. Hay jardineras que se compran con el **soporte para colgarlas,** lo cual nos ahorrará tener que fijarlas.

   También quedan muy bien las recicladas, ya sea con **botellas de refrescos** o con **latas** previamente decoradas (véanse proyectos anteriores) que podemos fijar con alambre o con ganchos en S.

3. JARDINERAS CON BANDEJA. Son más prácticas, ya que recogen el **exceso de agua de riego** y evitan los incómodos goteos y manchas.

4. VARIEDAD. Estas jardineras son ideales para poner **plantas con flores** como los geranios o pensamientos, que no necesitan mucha profundidad para sus raíces. También lucen bien en ellas las **plantas colgantes.**

Jardinera... sobre ruedas

Una vieja bicicleta, un cochecito para bebés, un vehículo infantil o un carrito para la compra pueden resultar excelentes soportes decorativos para los tiestos.

1. RESTAURACIÓN. Si usamos **una bicicleta,** como la que se muestra en la foto, lo primero que tenemos que hacer es **lavarla** bien con agua y jabón, pasarle un paño seco y dejarla un par de horas **al aire libre** para eliminar cualquier resto de humedad.

   Si empleamos un carrito de bebé que destinemos al exterior, una vez que lo hayamos limpiado bien **impermeabilizamos** las partes de tela con algún producto de venta en droguerías. Si es para interior, este paso no será necesario.

2. LIJADO Y PINTURA. Damos una mano de **lija suave** para que la pintura se adhiera mejor y procedemos a pintar con el **color base** toda la superfricie del vehículo. Esperamos a que esta capa se haya secado bien y aplicamos una **segunda mano.** Aprovechamos para pintar también los **cestos o cajas** que vayamos a emplear como tiestos.

Acabado...

1. ESTAMPADOS. Con un **color de contraste** podemos añadir al conjunto topos, líneas, manchas, etc. tanto en el vehículo como en los tiestos. Una vez que estos estén bien secos, colocamos en su interior **tiestos** más pequeños que contengan diferentes plantas.

Regadera... florecida

Las viejas regaderas de metal tienen un encanto especial pero, a la larga, es necesario sustituirlas porque se estropean y pierden agua. Sin embargo, es posible reciclarlas y hacer con ellas estas graciosas macetas para el jardín.

1. PREPARACIÓN. Tras **lavar** bien la regadera, realizamos en su base unos 5 o 6 **agujeros** que servirán para **drenar** el exceso de agua de riego. La **lijamos** ligeramente por fuera para que la pintura se adhiera mejor, y pasamos un **paño húmedo** para quitar el polvo del lijado.

2. DÉCOUPAGE. Pintamos **de blanco** el cuerpo de la regadera y **de otro color** el pico, el distribuidor y el asa. Recortamos los dibujos de las **servilletas** y vamos quitando las capas inferiores de papel dejando solo la que tiene el **estampado.** Una vez seca la pintura, pegamos el dibujo. Aplicamos varias manos de **pegamento** sobre él, siempre desde dentro hacia afuera.

2. INTERIOR. Colocamos en el fondo unos guijarros, añadimos la tierra y sembramos los bulbos.

Jardinera... andante

Con unas viejas botas para lluvia podemos hacer unas simpáticas jardineras. Quedan muy bien a pares o bien armando conjuntos de varias botas de diferentes colores, tamaños y diseños y pueden ponerse de pie o también colgarse.

NECESITAMOS: Un par de botas para lluvia • Un clavo grande • Alicates • Guijarros, tierra y plantas o semillas
DIFICULTAD • BAJA

1. COLORES. Aunque se pueden aprovechar también las **botas** negras o de colores apagados, resaltan mucho más las estampadas o de **colores vivos.** Si las que tenemos son **lisas,** siempre podemos darles una mano de pintura acrílica y dibujar en ellas topos, líneas o manchas.

2. PREPARACIÓN Y MONTAJE. Como es habitual en todos los tiestos, antes de trasplantar debemos hacer **en la suela** algunos **agujeros para el drenaje;** si las botas son de goma o plástico, podemos sujetar **un clavo** grande con un alicate, ponerlo **al fuego** y cuando esté al rojo vivo, practicar con él los agujeros. Este método resulta más efectivo que el taladro.

Por último, colocamos dentro de las botas unos guijarros, tierra y diversas **plantas** o semillas.

Términos usuales

ACABADO. Tareas finales en una obra a fin de embellecerla o protegerla.

ALCAYATA O ESCARPIA. Clavo con cabeza acodillada que sirve para sujetar lo que se cuelga.

ACEITE DE LINAZA. Aceite hecho con semillas de lino que ayuda a embellecer y conservar la madera.

ANILINA. Pigmento que se disuelve en agua y que permite dar color a la madera dejando traslucir su veta.

BARNIZ. Resinas disueltas en alcohol con las que se cubre la madera a fin de darle brillo y de protegerla del aire y del polvo. Actualmente se fabrican barnices sintéticos que incluyen los de tipo mate, que no dan brillo.

BISAGRA. Herraje compuesto por dos piezas articuladas entre sí que se usa para colocar puertas, tapas de cajas y cualquier superficie que tenga que unirse a otra.

BROCA. Barrena que se usa con el taladro para hacer agujeros.

CÁNCAMO. Anillo de hierro con tornillo.

COLLAGE. Técnica artística que consiste en elaborar una composición pegando diversos elementos (de cartón, papel, tela, madera, etc.) sobre una superficie.

DÉCOUPAGE. Técnica artística que consiste en pegar imágenes recortadas de papel sobre una superficie aplicando luego encima diferentes tipos de barnices o pegamentos transparentes.

GEL DECAPANTE. Sustancia que, aplicada sobre madera pintada, desprende la pintura para poder ser retirada más fácilmente.

GUIJARRO. También llamado callao, guija, china o canto rodado. Piedra de pequeño tamaño.

GUIRNALDA. Adorno en forma de arco.

HERRAJE. Conjunto de piezas de hierro que sirven para reforzar un mueble. También reciben este nombre las bisagras.

LANA DE ACERO. También conocida como virutilla, esponjilla o brillo, es un conjunto de fibras de acero finas y blandas que se usa en trabajos de limpieza, acabado y pulido de metal y madera.

LIJAR. Pulir una superficie utilizando papel de lija u otro material abrasivo.

PALÉ, PALLET O ESTIBA. Plataforma de madera empleada para levantar y trasladar mercancía pesada por medio de un toro o carretilla elevadora.

PAPEL DE LIJA. Papel cubierto de arena con granos de diferentes grosores que se utiliza para pulir.

PIGMENTOS. Sustancias con color, generalmente en polvo, que se disuelven en diferentes líquidos obteniendo con ello diversos tipos de pintura.

MÓVIL. Composición artística que tiene volumen y es capaz de moverse con el viento.

TIESTO O MACETA. Recipiente destinado a contener plantas vivas.